CW01064713

Y LLAIS O BELL

BARBARA IRESON

Addasiad Eirlys Gruffydd

GWASG GOMER
1996

Argraffiad cyntaf—1996

ISBN 185902 461 0

© Barbara Ireson

ⓗ Addasiad Eirlys Gruffydd

Dymuna'r cyhoeddwyr ddiolch i A. & C. Black (Cyhoeddwyr) Cyf.,
35 Bedford Row, Llundain, WC1R 4JH, am eu caniatâd i
gyhoeddi'r addasiad hwn o *Out of the Dark* gan Barbara Ireson.

Cyhoeddwyd dan nawdd Cynllun Llyfrau Darllen
Cyd-bwyllgor Addysg Cymru

Mae Uned Iaith Genedlaethol Cymru yn rhan o WJEC CBAC Cyf.,
cwmni a gyfyngir gan warant ac a reolir gan awdurdodau unedol
Cymru.

Cedwir pob hawl. Ni chaniateir atgynhyrchu unrhyw ran o'r cyhoeddiad hwn na'i gadw
mewn cyfundrefn adferadwy na'i drosglwyddo mewn unrhyw ddull na thrwy unrhyw
gyfrwng electronig, electrostatig, tâp magnetig, mecanyddol, ffotogopïo, recordio,
nac fel arall, heb ganiatâd ymlaen llaw gan y cyhoeddwyr, Gwasg Gomer, Llandysul.

Argraffwyd gan Wasg Gomer, Llandysul, Ceredigion

'Os ydych chi newydd ymuno â ni, ffrindiau,
rydych yn gwrando ar Radio'r Maes. Dyma'r
Sioe Bop a dyma fi, Aled Wyn, yn cloi'r
rhaglen heno. Ond cyn inni ffarwelio rydw i
am roi'r gair olaf i Gareth Rhys sydd wedi
bod yn cadw cwmni imi. Mae pawb yn
gwybod fod Gareth yn enwog am ysgrifennu
geiriau a cherddoriaeth caneuon pop. Diolch
iti am ddod i'r stiwdio i siarad â ni am dy
waith, Gareth. Beth am un gân cyn cloi? Beth
fydd hi?'

'Cân wnes i ysgrifennu efo Siôn Annwyl. Fe
wnaeth o recordio'r gân yma ychydig cyn
iddo gael ei ladd yn y ddamwain awyren
yna. Dyma hi. Enw'r gân yw *Y Llais o Bell*.'

Gwrandawodd y ddau ar y gân. Wedi iddi
orffen dywedodd Aled Wyn nos da wrth
bawb oedd yn gwrando. Roedd y rhaglen
wedi gorffen. Doedden nhw ddim ar yr awyr.

'Iawn, mae popeth drosodd nawr,' meddai
Aled Wyn ond roedd Gareth yn dal i wrando.
Roedd o'n clywed cerddoriaeth drwy'r teclyn
clust. Roedd o'n clywed llais hefyd. Roedd y
llais yn dweud 'Na! . . . Na! . . . Help! . . . O!
. . . Na! . . .'

'Llais pwy sy'n siarad?' gofynnodd Gareth.
'Pa lais?' holodd Aled Wyn.
'Y llais ar ddiwedd y gân,' atebodd Gareth.
'Fedra i ddim clywed llais,' oedd sylw Aled
Wyn.
'Bydd ddistaw a gwranda,' meddai Gareth
yn flin, ond erbyn hyn roedd y llais wedi
mynd mor bell fel na allai ei glywed.
Wrth fynd allan o'r stiwdio gwelodd Gareth
Nia. Roedd hi'n gweithio i'r orsaf radio.
Roedd y ddau ohonynt yn cerdded at y lifft
gyda'i gilydd.
'Sut aeth y rhaglen?' holodd Nia.

'O iawn, diolch,' oedd sylw Gareth. Edrychodd ar Nia. Roedd hi'n hardd, meddyliodd, â'i gwallt hir tywyll.

'Wyt ti'n mynd adref nawr?' gofynnodd Gareth iddi.

'Ydw, diwrnod arall o waith wedi ei wneud.'

'Ga i gynnig lifft iti?'

'Na, dim diolch, Gareth. Mae'r car gen i,' atebodd Nia â gwên.

Roedd Nia yn wahanol i unrhyw ferch arall roedd Gareth wedi ei chyfarfod erioed. Roedd hi'n ei atgoffa o rywun ond doedd o ddim yn gallu meddwl pwy.

Roedd hi'n dywyll ac yn bwrw glaw yn drwm. Roedd Gareth yn teimlo'n ddigalon iawn. Gwasgodd dâp i fewn i'r chwaraewr tapiau. Un o'i ganeuon o oedd ar y tâp—*Ble rwyt ti heno?* oedd enw'r gân. Wrth iddo wrando ar y gerddoriaeth dechreuodd ymlacio. Yna diflannodd y sŵn. Gafaelodd Gareth yn y botwm a'i droi a daeth y sŵn yn gryfach ond roedd rhywbeth o'i le. Roedd o'n gwrando ar gerddoriaeth ddieithr. Doedd o ddim wedi clywed dim byd tebyg iddi erioed o'r blaen. Roedd y gerddoriaeth yn suddo i'w ymennydd. Teimlodd yn oer drosto. Gafaelodd yn y botwm a diffodd y peiriant.

5

Ond roedd o'n dal i glywed y gerddoriaeth. Yn ei feddwl gallai weld planedau yn troi a throi mewn gofod tywyll. Rhywsut llwyddodd i gyrraedd adref i'w fflat yn ddiogel. Drwy'r nos, tra oedd yn cysgu, gallai glywed y gerddoriaeth yn ei ben a breuddwydiodd am y planedau yn troi a throi.

2

Fore trannoeth cysgodd Gareth yn hwyr. Roedd o'n teimlo'n well. Doedd y gerddoriaeth ddieithr ddim yn troi yn ei ben. Roedd o wedi gorffen bwyta brecwast pan alwodd Aled Wyn heibio.

'Roedd y rhaglen yn dda neithiwr,' meddai.

'Wyt ti eisiau paned?' holodd Gareth.

'Na, dim diolch. Dod yma wnes i i dy atgoffa di am y parti heno.'

'O ie, diolch,' atebodd Gareth. 'Oes gen ti amser i wrando ar y gerddoriaeth rydw i wedi bod yn gweithio arni am beth amser?'

'Wrth gwrs,' atebodd Aled Wyn gan dynnu ei gôt a'i thaflu dros gefn y gadair.

'I'r casét newydd mae'r gerddoriaeth yma,' eglurodd Gareth.

Dechreuodd y gerddoriaeth lanw'r ystafell.
'Bendigedig!' gwaeddodd Aled.

'Na! Na! Nid dyma'r gerddoriaeth wnes i
ei recordio ar y tâp yma,' meddai Gareth.

'Ond mae o'n fendigedig,' meddai Aled
Wyn gan afael yn ei gôt. 'Rhaid i mi fynd,'
meddai. 'Mae gen i gyfarfod cyn hir.'

Aeth Aled Wyn allan drwy'r drws ond
doedd Gareth ddim wedi sylwi arno'n mynd.
Roedd o'n dal i wrando ar y gerddoriaeth.
Roedd o'n debyg iawn i'r gerddoriaeth oedd
ar y tâp yn y car y noson gynt.

Aeth Gareth allan i'r car. Daeth â'r tâp
oedd yno i'r fflat. Gwrandawodd ar y tâp eto.

Roedd y gerddoriaeth ar y ddau dâp bron yr un fath, meddyliodd. Roedd yr ystafell yn llawn o'r gerddoriaeth fwyaf bendigedig roedd Gareth wedi ei chlywed erioed. Doedd o ddim yn breuddwydio nawr. Dechreuodd ysgrifennu nodau'r gerddoriaeth i lawr. Roedd rhywbeth rhyfedd iawn yn y gerddoriaeth. Doedd o ddim wedi clywed dim byd tebyg erioed o'r blaen. Gwrandawodd ar y tâp arall. Ysgrifennodd y nodau i lawr. Aeth â'r ddau ddarn o bapur at yr allweddellau. Dechreuodd chwarae. Yna sylweddolodd beth oedd ganddo—dechrau darn o gerddoriaeth oedd un a diwedd y darn oedd y llall. Roedd y darn yn y canol ar goll.

'Sut ddaeth y gerddoriaeth ryfedd yma ar y tapiau?' gofynnodd iddo'i hun. Bob tro roedd yn gwrando arno gwelai blanedau yn troi a throi mewn gofod tywyll.

Eisteddodd Gareth wrth yr allweddellau a chwarae'r ddau ddarn eto, ond doedd o ddim yn gallu cyfansoddi'r darn canol i gysylltu'r ddau. Roedd o bron â drysu.

'Rhaid imi fynd allan o'r fflat yma, neu mi fydda i wedi mynd yn wallgo!' meddai wrtho'i hun.

3

Cerddodd drwy'r dref ond doedd o ddim yn sylwi ar y bobl ar y strydoedd prysur. Roedd o'n croesi strydoedd yn llawn trafnidiaeth ond doedd o ddim yn sylwi ar y ceir yn gwibio heibio. Doedd ganddo ddim syniad i ble roedd o'n mynd ond roedd o'n clywed y gerddoriaeth fendigedig yna yn troi a throi yn ei ben. O'r diwedd daeth i'r parc ac eisteddodd ar sedd yno. Roedd sŵn y gerddoriaeth yn mynd yn gryfach ac yn gryfach o hyd. Eisteddodd yno am amser hir.

Roedd o'n hwyr yn cyrraedd y parti.

'Dyma fo—y dyn ei hun!' galwodd Aled Wyn arno wrth i Gareth gerdded i mewn i'r ystafell. Cafodd groeso cynnes ac roedd pawb eisiau siarad efo fo. Am ychydig anghofiodd am y tapiau. Roedd hi'n braf cael siarad efo'i ffrindiau. Yna gwelodd Nia. Roedd hi'n edrych yn hardd iawn, meddyliodd. Aeth draw ati.

'Helo Nia. Mae'n braf dy weld ti eto.'

'Mae'n braf dy weld ti hefyd, Gareth, ond dwyt ti ddim yn edrych yn dda iawn. Oes rhywbeth yn bod?'

'Fedra i ddim egluro fan hyn,' atebodd

Gareth. 'Mae gen i dapiau yn y fflat. Mi faswn i'n hoffi i ti wrando arnyn nhw. Mae rhywbeth rhyfedd iawn yn y gerddoriaeth.'

4

Tra oedd Gareth yn gwneud coffi edrychodd Nia drwy'r tapiau.

'Mae gen ti dapiau da,' meddai, wrth i Gareth ddod â'r coffi iddi. 'Mae hwn yn edrych yn ddiddorol.'

Gwasgodd y tâp i'r peiriant. Yn lle cerddoriaeth clywodd y ddau lais dyn.

'Mae rhywbeth yn bod . . . mae'r awyren yn syrthio . . . fedra i ddim anadlu . . . Na! . . . Na! . . . O! . . . Na! . . .'

Roedd tawelwch am funud . . . yna daeth y llais eto—

'Doeddwn i ddim eisiau marw, Gareth. Roedd gen i gymaint i'w wneud, cymaint mwy o gerddoriaeth i'w chyfansoddi. Roeddwn i wedi dechrau ar y gân yma yn fy mhen ond doeddwn i ddim wedi ei hysgrifennu i lawr. Helpa fi, Gareth, helpa fi . . . helpa fi . . .'

Doedd Gareth ddim yn gallu symud modfedd. Roedd Nia yn welw iawn.

'Siôn . . . llais Siôn oedd ar y tâp,' meddai'n dawel. 'Mae o eisiau i'w gerddoriaeth fyw. Rhaid i ti ei helpu, Gareth.'

'Sut?' holodd Gareth wrth gerdded yn ôl a blaen. 'Ar beth roedd o'n gweithio? Roedd o

wedi dechrau ar rywbeth ond doedd o ddim
wedi gadael i neb arall glywed y
gerddoriaeth.'

Yna'n sydyn safodd Gareth yn stond.

'Wrth gwrs!' meddai. 'Mae'r gerddoriaeth
yma gen i. Mi wnes i ysgrifennu'r nodau i

lawr y bore yma.' Aeth at yr allweddellau a dechrau chwarae. Gwrandawodd Nia'n astud. Pan oedd Gareth wedi gorffen chwarae'r rhan gyntaf meddai,

'Dydw i ddim yn gwybod beth sy'n dod nesaf . . . '

Yna dechreuodd Nia ganu alaw.

'Ie! Ie! Dyna fo . . . ' gwaeddodd Gareth. Roedd o'n gweld planedau yn troi mewn gofod tywyll.

'Dyna'r darn sydd ar goll.'

Peidiodd Nia â chanu.

'Dydw i ddim yn gwybod y gweddill,' meddai'n drist.

'Wel, mi rydw i . . .' meddai Gareth. 'Rydw i wedi bod yn ysgrifennu'r rhan ola i lawr y bore yma. Dyna beth roedd Siôn eisiau. Roedd o am i ni gael y gerddoriaeth.'

Yna edrychodd Gareth ar Nia.

'Sut oeddet ti'n gwybod mai cerddoriaeth Siôn oedd o?' gofynnodd mewn penbleth.

'Roeddwn i'n clywed cerddoriaeth Siôn bob dydd,' meddai Nia'n dawel. 'Roedd o'n frawd i mi.'

Gafaelodd Gareth yn dynn ynddi. Roedd hi wedi bod yn ei atgoffa o rywun. Nawr roedd o'n gwybod pwy.